시, 쓰다 2

석사초등학교 3학년 1반
꼬마 시인들이 써 내려간
2023년의 기록

시, 쓰다 2
-석사초등학교 3학년 1반 꼬마 시인들이 써 내려간 2023년의 기록

발 행 | 2023년 12월 19일
저 자 | 석사초등학교 3학년 1반 26명
엮은이 | 심재근
펴낸이 | 한건희
펴낸곳 | 주식회사 부크크
출판사등록 | 2014.07.15.(제2014-16호)
주 소 | 서울특별시 금천구 가산디지털1로 119 SK트윈타워 A동 305호
전 화 | 1670-8316
이메일 | info@bookk.co.kr

ISBN | 979-11-410-6062-6

시, 쓰다 2

석사초등학교 3학년 1반
어린이시 모음집

석사초등학교 3학년 1반 26명 씀
(강다빈, 강민찬, 권용훈, 권용휘, 길은성, 김동준
김리아, 김해온, 박윤슬, 박하윤, 변혜진
사지우, 송지헌, 심규인, 원동연, 유도윤
이서현, 이솔민, 이윤호, 이채은, 조하준
최연우, 최한결, 홍지현, 배보형, 김유건)

심재근 엮음

머리말

2021년 가르쳤던 아이들의 시를 묶은 <폰카시> 출간을 시작으로 매해 아이들과 시집을 만들고 있습니다.

2022년에는 25명의 아이들과 함께 <시, 쓰다>를 출간했습니다.
'시 쓰자'라는 말에 한숨을 쉬던 아이들에게 달달한 열매가 되있습니다.
중학생이 된 아이들에게 소소한 자랑거리가 되었습니다.

올해는 3학년 우리반 아이들의 시를 책으로 묶었습니다.
1학기에 3학년 전체가 함께 엮은 통일 시화집 <봄이 흐르는 석사천에서, 통일을 그리다>를 너무 편하게 작업한 모양입니다. 이번 책은 정말 쓰디쓴 과정을 거쳤습니다. 저 또한 다섯 번째 독립출판 작업 가운데 그 어느 때보다 힘들었기에 '시, 쓰다'란 제목을 버릴 수 없었습니다. 물론, 그만큼 무엇보다 달콤한 열매로 남을 겁니다.

이 동시 모음집은 아이들의 2023년을 담고 있습니다. 이 책을 보며 아이들은 자신들과 함께 했던 시의 세계는 물론, 2023년 한 해를 돌아보는 계기가 될 것입니다.

부디 저에게나 아이들에겐 좋은 기억만 가득하길 기대해 봅니다.

-2023년 12월, 담임교사 심재근 올림

차 례

첫 번째

체험학습, 쓰다

2학기에 체험학습을 다녀왔습니다.

같은 곳에 다녀왔는데

아이들이 느끼고 쓴 레고랜드는 모두 다르네요.

26명이 다녀온

그날, 그곳으로 다 함께 떠나 보실까요?

쌩쌩 놀이기구 - 강다빈

노랑 버스가
레고의 세상으로 쌩쌩

롤러코스터 용은
친구들을 태우고 쌩쌩

점심 먹자마자
놀이기구로 달려가는 아이들도 쌩쌩

집으로 돌아온
내 마음은 아직도 쌩쌩

젖은 마음 - 강민찬

레고랜드로 빠르게 달리는 버스
창문 밖엔
비가 주룩주룩
내 마음도 주룩주룩

드래곤 코스터를 타니
비가 그치네.
내 마음의 비도 그쳤지만
밖에 있는 의자들은 젖어 있네.

젖은 의자를 보니
내 마음은
짜도 짜도 짜지지 않는
젖은 마음

쿵쿵 - 권용훈

아이들이 드래곤 코스터로
쿵쿵쿵쿵

아이들이 신나서
쿵쿵

아이들이 점심 먹으러
콩콩

아이들은 하루종일
쿵쿵콩콩

롤러코스터 - 권용휘

씽씽 달리는 롤러코스터
잠시 신비한 나라에 간 기분

내 기분은 하늘을 나는 기분
내 마음도 쿵쾅쿵쾅

롤러코스터가 느려지면
내 마음도 느려지고

잠시 우주를 나는 기분

추억 - 길은성

차가운 비
차가운 바람
레고랜드에 도착한
내 마음 덜컹

놀이기구를 타며
즐거움이란
연료를 채우고
또 타고
또 채우고

마지막엔
역시 찰칵!

안녕, 레고랜드

레고랜드 - 김동준

친구들이랑 레고랜드 가서
드래곤 코스터 타고
스탬프도 받고
점심도 맛있게 먹는 나
다음에 또 오고 싶은 나

스릴 있고 재밌는
롤러코스터
이제는 집으로 슝!

놀이기구 - 김리아

오늘은 레고랜드 가는 날
버스를 타고
신기한 세상으로 슝~

들어가자마자
롤러코스터부터
이제 마법 열차 타러 고!

레고랜드 - 김해온

레고랜드에 가서
놀이기구를 탔다.

처음으로
롤러코스터를 탔다.

놀이기구를 다 타고
점심을 먹으러 갔다.

점심을 먹고
부스럭 부스럭
가방에서
과자를 꺼내 먹었다.

할 건 다 했다.

하늘은 제 맘대로 - 박윤슬

체험학습 갈 때
비 내리고

점심 먹을 땐
비가 안 내리더니

놀이기구 탈 땐
비 내리고

또 집에 갈 땐
비 안 내리게 하는

하늘은 제 맘대로

점심 - 박하윤

점심에 뷔페로 들어가면
다양한 음식이 한가득

먼저 피자를
아 먹는 나

다른 음식도
아~ 먹는 나

디저트도
아~암 먹는 나

그릇이 한가득
너무 맛있어서
바다만큼 행복~

두근두근 롤러코스터 - 변혜진

버스를 타고
어디론가 슝~

우린 롤러코스터를 타러
후다닥

롤러코스터를 탈 땐
콩닥콩닥

타고 나니
내 마음은
뿌듯뿌듯

신난다 - 사지우

무려 다섯 개를
애들이랑 타고
코피가 났다.
레고랜드
신난다.

콩닥콩닥 롤러코스터 - 송지헌

롤러코스터 타기 전에
줄 서고 있을 때
가슴은
콩닥콩닥 새근새근하고

놀이기구 의자에 앉으면
가슴이
쿵쾅쿵쾅 두드려지고
땀이 흐르고 있지.

롤러코스터가
터널을 지나 내려가면
바람이 내 머리를
시원하게 해주고 있지.

놀이기구를 탄
내 심장은
잠깐 나갔다 돌아온 것 같네!

속상한 현장체험학습 - 심규인

아침에 비와서 속상한
현장체험학습

친구들과 갈등 생겨 속상한
현장체험학습

타고 싶은 놀이기구
실컷 못 타서 속상한
현장체험학습

방금 온 것 같은데
집에 가서 속상한
현장체험학습

레고랜드 - 원동연

버스가
레고랜들로 달려 달려

나는 너무 신나서
하늘로 슝

드래곤 코스터 타고 슝
잠시 저승을 보았다

롤러코스터 - 유도윤

레고랜드에 롤러코스터 타러
출발!

롤러코스터 타러 가는
내 심장은 쿵쾅쿵쾅

롤러코스터가 내려가면
간질간질

롤러코스터가 도착하면
잘난 척

롤러코스터 별것 아니네
한 번 더!

드래곤 코스터 - 이서현

드래곤 코스터 타기 전엔
긴장되는 내 마음

드래곤 코스터 타는 동안
어질어질한 내 마음

드래곤 코스터 타고
머리가 뱅뱅
돌아가는 나

레고랜드 속 내 마음 - 이솔민

줄 설 때 마음은 두근두근

탈 때 내 마음은 우왁!!

밥 먹을 때 마음은 냠냠

집에 갈 때 내 마음은

아...

연간회원권 - 이윤호

친구들은 돈 내고 가는 레고랜드
연간회원권 덕에
나는 꼬마 왕자

간식 할인해주는
연간회원권 덕에
나는 인기쟁이

나는 뼛속까지
연간회원권 사랑

내 마음속 - 이채은

롤러코스터 타기 전에
내 마음은 두근두근!

줄을 설 때 맨날
내 마음은 두근두근!

해적선 탈 때는
내 마음속은 두근두근!

다다다다 - 조하준

레고랜드에 왔네
아이들이
친구들이
놀이기구에
다다다다다
어른들도
다다다다다
놀이기구 타는
내 심장도
다다다
모든 게 다다다
다다다다

레고랜드 - 최연우

레고랜드에 도착
와!
신나서 심장이
쿵쾅쿵쾅
떨리는
드래곤 코스터
재미있는 레고랜드

레고랜드는 변덕쟁이 - 최한결

레고랜드는 변덕쟁이
레고랜드에 비가
주룩 주룩
비가 멈추고 놀이기구
쓩 쓩
비가 오자 레고랜드는
시무룩
비가 멈추자 레고랜드는
활 짝
레고랜드는 변덕쟁이

용기 - 홍지현

빠른 용을 타고 슈웅
시원한 용을 타면서
바람을 쏴아
아이 시원해
그런데 용아
너의 꼬리가
어디니?
이제 그만
멈춰줘!!

슝슝슝슝 - 배보형

버스가 레고랜드로 슝
아이들이 드래곤 코스터로 슝
드래곤 코스터도 빠르게 슝
우리들의 마음도 슝
밥도 몸 안에 슝
시간도 빠르게 슝
뭐든지
슝슝 지나가네

두 번째

먹고, 쓰다

아이들이 가장 체험학습보다 더 좋아하는건?

바로 먹는 거예요.

좋아하는 간식과 음식을 소재로 시를 쓰니

아이들 눈빛이 초롱초롱합니다.

그 무엇보다 생생한 표현이 한가득입니다^^

과자 - 김유건

과자
바삭바삭 과자
너무 너무 너무 맛있어
멈추기 힘든
과자

음식 - 김유건

음식
온 세상 맛있는 음식들
얌얌
맛있는 음식들
건강을 위해
먹자

오리 고기 - 김유건

오리고기
오리 냄새 난다
쏘쓰 뿌리면
더 좋은 냄새
맛있는 오리고기 냄새

약과는 내 사랑 - 배보형

약과다!
후다닥 달려서
후다닥 먹으면
달콤함이 스르르
새콤함이 사르르
그리고 뻑뻑한 느낌이
나를 감싸는 것 같다
약과는 내 사랑

삼겹살 - 홍지현

세 명이서 먹어서
삼겹살
그렇다면 나는
백겹살 주문이요!!

호로록 마라탕 - 최연우

뉴진면 호로록
옥수수 호로록
중국 당면 호로록
숙주도 호로록
맛있다

맛있는 간식 - 최한결

바삭바삭 맛있는 간식
새콤달콤 맛있는 간식
마트에 많은 맛있는 간식
내 집에 더 많은 맛있는 간식

과자 - 이솔민

바삭바삭 과자
짭짤한 과자
다 먹고
손가락에 묻은 가루 먹으면
제일 맛있는데?

보리과자 - 조하준

과자가 바삭바삭
치킨을 먹는 느낌
한입 물면 바삭바삭
한입 또 물면 또 바삭바삭

삼겹살 - 조하준

철판이 뜨거워질 때쯤
고기를 올리면 기름 폭탄
비 오는 소리와 같네
침은 고이고 기름은 팡팡
행복한 기름 폭탄

기름 목욕 - 조하준

아빠가 버터까지 넣고 구워준
노란 기름에 들어가 있는
스테이크
스테이크는
어떤 음식도 이길 수 없네
한입 먹으면 다른 소원이 없네

계란말이 - 이채은

계란을 풀어서
접시에 퐁당!
소금 풀고 후라이팬에
촤라라락 음~!
맛있다!

과자봉지 - 이채은

과자 봉지가 촤악~!
과자를 먹으면
입에서 바스르
움~!음~! 맛있다

레인보우 아이스크림 - 이채은

동글 동글 사르르
입 안에서 사르르
동글 동글 입 안에서 굴리며
맛있게
꿀꺽~!

라면 냄새 - 이솔민

물 넣고
기다리다 보면
아 맞다!

후다닥 가서
스프 넣자!

팡!
하고
올라오는 냄새

벌써부터
군침 돈다.

프링글스의 위대함 - 이윤호

맛있는 프링글스
좋은 냄새 솔솔
소나무 같은 냄새
풍기는 프링글스

적은 양의 가루에도
내 혀는 만족하네

맛, 냄새 전세계
1등 프링글스

"솔직히 이 정도면
기네스북도 돼야지!"

삼겹살 - 이솔민

오늘저녁은 삼겹살이다!
치지직....
다 구워진 삼겹살에
김치 올려서 한입
소금 찍어서 한입
쌈장 찍어서 한입
밥이랑 한입!
아...
맛있겠다

초밥 냄새 - 이서현

한시간 동안
초밥을 기다렸다.

띵동
초밥이왔다

빠르게 가져온 나
초밥을 먹었다.

갓 잡은
생선 냄새가 났다.

너무
맛있다.

추억의 스테이크 - 이서현

아빠가 만들어준 스테이크
말랑하고 쫀득쫀득한 스테이크
또 먹고 싶다.

치토스 - 유도윤

치토스를 먹다보니
시간 훌쩍

가루 묻은 손가락
입으로 훌쩍

치토스를 먹으니
몸무게가 훌쩍

꺼억, 맛있다

마이쭈 - 원동연

학교에 나를 가져가면
인싸가 된다.
개학할 때 가져가면
친구가
마이마이 생긴다.

과자소리 - 원동연

바스락 바스락
과자는 바스락
튀김도 바스락
먹으면
내 미각이
바스락 바스락

라면 국물 - 원동연

수영장 갈때 그 라면
한입 먹고 들어가면
라면 국물에 들어간 느낌
이젠 수영장이
100인분 라면

라면비 - 원동연

라면비가 쏟아지네
입속으로 쏟아지네
맛있는
라면비가
내 입속으로
쏟아지네

내가 만든 빼빼로 - 심규인

내가 만든 빼빼로
바삭바삭 빼빼로

내가 만든 빼빼로
새콤달콤 빼빼로

내가 만든 빼빼로
환상의 맛 빼빼로

홍천고구마 - 사지우

고구마
달콤 고구마

초콜릿 - 송지헌

밤에 바스락 소리
초콜릿 바스락 소리
봉지 깔 때 바스락 소리
초콜릿 먹을 때도
바스락 소리?
아니, 바사삭 소리

치즈스틱 - 변혜진

치즈가 쭉 늘어나는 치즈스틱
겉은 바삭한 치즈스틱
쭉쭉 내가 기지개를 필때처럼
쭉쭉 늘어나는 치즈스틱
치즈스틱이 식으면
늘어나지 않는 치즈스틱
바사삭 쭉쭉 늘어나는 치즈스틱

아빠의 회오리 감자 - 변혜진

아빠가 해주는 회오리 감자
휴계소에서 먹는 맛이랑
다르고 특별한
회오리 감자

시즈닝 가루를 솔솔 뿌리며
먹는 회오리 감자
짭쪼름한 시즈닝 가루
휴게소보다 더 맛있고 특별한
아빠의 회오리 감자

과자 - 박하윤

아그작 아그작
과자 부스러기
다 흘리면
엄마에게 혼나지.

하지만
나는
과자 부스러기를
안 흘릴 수 없지.

결국
나는 혼났지만
참 맛있었던
과자

엄마 몰래 사탕 - 박하윤

엄마 자는지
두리번
엄마 자면
사탕 봉지 치리릭

달콤 사탕
한 개 먹고
또 먹으려고 하는데
동생이 나 하나만!
나는 싫어

동생이
엄마 자는
방에 들어간다.
아....
동생이 엄마에게
말하겠구나.

빼빼로 - 박윤슬

알록달록 갈색 하양 막대기
이것저것 들어있는 막대기
오도독 오도독 바삭바삭
소리 내며 먹다 보면
바스락 바스락
비닐 소리만 들리네.

왕 계란말이 - 박윤슬

지글지글 주방소리에
내귀는 행복하네.
요리가 완성되면
젓가락으로 콕!
집어서 입으로 갖다 대면
단짠단짠 조합이
잘 맞네.

스테이크 - 박윤슬

엄마가 스테이크를
해준다 한다.
지글지글-촤아-
고기가 구워지는 소리
쫄깃쫄깃 고기가
부드럽네

만두 - 김해온

만두는 여러가지 맛이 있다
군만두, 찐만두가 있다
만두는 정말 맛이있다
여러가지 맛 만두가 있다

고구마 - 김해온

고구마는 정말 맛있다
꿀고구마, 호박 고구마, 군고구마
여러 가지 맛이 있다
정말 맛있다
고구마는 여러 가지 맛이 있다

달콤한 사탕 - 김리아

달콤한 사탕
모양이 동글동글한 사탕
만져만 봐도 찐덕찐덕한 사탕
한 입만 먹어도 탁탁 소리나는사탕
아이들이 먹으면 이빨이 톡톡 깨지는 소리

붕어빵 - 김리아

따끈따끈한 붕어빵
한 입만 먹어도 뜨겁고
그래도 맛있는 붕어빵
사람들은 꼬리부터 먹지만
난 중간부터

라면 - 김동준

접시 열면 내 눈물 고이네
후루룩 짭조름하고 따뜻하게 하네
내 몸이 사르르 녹네
아껴 먹고도 또 먹고 싶네
국물도 꿀꺽꿀꺽 삼키네
언제 먹어도 맛있는 라면

탕후루 - 김동준

과일 하나 깨물면
과즙이 팡!
설탕이 입에서 사르르

설탕 코팅이 달면
과일 과즙이 팡!
사르르 부드러운 탕후루

계란말이 - 김동준

동글동글 내 몸이 왜 이래?
내 몸에 박힌 당근 조각들
내 몸이 따뜻하다.
곧 나는 그의 입속으로
젓가락이 다가오네!

태닝한 삼겹살 - 길은성

삼겹살이 태닝하러 간다
불판을 뜨겁게 데우면
심겹실이 좋다고
지글지글 소리를 내요
태닝을 다 하면
바다로 떠내려 갑니다

라뽁이 냄새 - 권용휘

냄새만 들어도
파 라면 떡
바로 엄마가 해준 라뽁이
쫀득쫀득 라뽁이
역시 엄마에 손맛

설렁탕 - 권용휘

뜨끈뜨끈 설렁탕
뜨끈뜨끈 뽀얀 국물을 먹으면
내 마음도 뜨끈뜨끈

뜨끈뜨끈 뽀얀 국물에
고기 듬뿍
내 마음도 뜨끈뜨끈

매콤한 마라 엽떡 - 권용휘

내 스트레스를 풀어주는
매콤한 국물
후루루 짭짭 중국 당면
빨간 국물이 다 튀긴다

과자 먹는 소리 - 권용휘

과자가 내 입 속으로
바삭바삭

과자를 들면 난 인싸
내 과자가 순식간에
친구들 배속으로

친구들에 방귀 소리가
바삭바삭

친구랑 마라탕 - 권용훈

친구랑 마라탕 먹으러 왔다
마라탕 냄새가 났다
마치 마라탕 세상에
온 것 같았다.

탕후루 - 권용훈

탕후루 먹으러 가는데
30분이 걸려

탕후루 가게 가는데
10년은 걸리는 줄 알았네

도착하자마자 한입
탕후루가 달콤하고
맛있다

이게 탕후루다!

떡볶이 - 강민찬

떡볶이 떡볶이
여러 가지 떡볶이
매운 떡볶이
엽기 떡볶이
로제 떡볶이
치즈랑 먹으면
더욱 맛있네.

친구랑 떡볶이 먹다
떡이 하나 남았을 땐
떡볶이 걸고 눈치 싸움.
결국
떡 하나 다 못 먹고
같이 가네.

김장 - 강민찬

초록 옷 흰 바지 배추씨
빨간 옷 빨간 바지 입으면 김치씨
초록 머리카락 흰 몸 무씨
빨간 수영장에서 수영하면 깍두기씨
한국 전통 음식
김치씨와 깍두기씨

배달 - 강민찬

배달시키고 띵동
음식 먹으러 쓔웅
음식 받고 거실로 쓔웅
음식 포장을 촤악
음식 내 입으로 쓩
냠냠 쩝쩝 맛있다

홈런볼 - 강다빈

동글동글 홈런볼
내 입에 들어올때
내 입도 동글동글
안에 있는 초콜렛도 동글동글

마라탕 - 강다빈

마라탕을 포기하지 마라
마라탕을 싫어하지 마라
온종일 마라탕만 먹기를

세 번째

추석, 쓰다

임시공휴일 지정으로

꽤 긴 추석 연휴였어요.

덕분에 아이들의 추석 이야기도

그 어느 때보다 풍성했습니다.

방긋방긋 웃는 보름달 - 변혜진

할머니, 할아버지 집에 가서
밖으로 나가면
아름답게 빛을 띠는 보름달

내가 본 보름달 중에
방긋방긋 웃는
보름달
네가 제일 예쁘다

보름달 - 배보형

저 접시 한그릇
누가 놔뒀나?
토끼? 신님?
진짜로 저 그릇은
누가 뒀을까?

보름달 - 심규인

둥글둥글 보름달
환하게 빛나는 보름달
사진 찍으면
잘 안보이지만
눈으로 보면
제일 잘 보이는 보름달

추석의 보름달

추석에는 - 박윤슬

추석은 둥글둥글 보름달
또, 말랑말랑 송편
하하호호 친척들과 놀기
꺄르륵 꺄르륵 재롱잔치

조상님들 - 홍지현

조상님들은
너무 잘해서 상을 탔나?
그래서
많은 사람에게 존경받고 있나?
만약에 내가 조상님들에게
상을 줄 수 있다면
오늘은 제사상이다.

송편 - 강다빈

추석에 할머니 댁에 갔다
할머니께서 맛있는 송편을 주시네
쫄깃쫄깃 냠냠 쩝쩝
음~ 맛있다

송편 빚는 날 - 강민찬

할머니 집에서
송편을 빚는다.

엄마랑 아빠랑
빚은 송편은
예쁜 송편.

나랑 동생이
빚은 송편은
쭈글쭈글 못생긴 송편.

추석의 생활 - 권용훈

할머니집 가고
도착하면
게임하고
그다음 날에

제사 지내고
그리고 또
게임하고

다음날에 집 가고
그다음
이모집에서 놀고

즐거운 하루였다

추석 싫어 - 권용휘

왜냐하면
심심하기 때문이다

또 용돈을 받으면
엄마에게 뺏기기 때문이다

또 핸드폰을
못하기 때문이다

그래서
추석 싫어

추석 - 김해온

보름달이 하늘에 떴다
동글동글했다
나는 추석 때
깜빡 잠이 들었다
그 사이 밤에는
보름달이 구름에 덮였다

송편 - 최한결

할머니 방에서
송편 냄새가
노릇노릇 나네
내 동생, 내 누나
냄새 맡고
거실로 오네
우리 가족 모두
송편 기다리네

추석 - 유도윤

이제 추석이다
정말 좋다.

6일 동안 쉬고
맛있게 송편도 먹고

친척들과 하하호호 놀고
가족들과 앉아서
맛있게 갈비찜도 먹으니까

추석 좋아 - 이윤호

추석에는 맛있는 송편
야무지게 한 입

추석에는 세배하면 내 지갑이
세뱃돈 야무지게 얌얌

추석은 내 최애 연휴다.

추석 - 최연우

추석엔 온 가족들 모여
음식을 만든다
친척이 오고
삼촌 이모들이 오신다
다 함께 하하호호

네 번째

일상, 쓰다

우리 동네, 나아가 우리 주변의 이야기를 담았습니다.

계절과 관련한 이야기

나의 취미 생활

내 주변의 물건 등

시인의 시선으로 보니 늘 보았던 것들이

새롭게 보입니다.

들판 - 변혜진

들판은 초록색
들판은 꽃으로 가득
들판으로 말하자면
바로
우리들의 행복이야

꽃향기 - 강다빈

저어기 보이는 꽃
가까이 가보니
꽃향기
꽃이 향수를 뿌렸나?
꽃이 향기로 공기를 가득 채웠네

파도 소리 - 강다빈

출렁출렁 철렁철렁
파도소리
찰랑찰랑 찰롱찰롱
이 소리만 들을 수 있게

바다의 소리 - 김유건

청벙 청벙
바다의 소리
물고기가
바다 위에서
춤추네
청벙 청벙

바람 소리 - 이서현

여름 때 많이 듣는
바람 소리
시원하고
너무 좋다

무지개 - 이서현

알록달록
색이 있는
무지개
비 오는 날
많이 볼수 있는
무지개
색깔 정말 예쁘다

가을은 다 알록달록 - 권용훈

등산하러 가면
알록달록이고
산책하면 알록달록

꽃구경 가면 알록달록
나들이 가면 알록달록
모든 게 다 알록달록

가을 싫어 - 배보형

가을은 싫다
오들 오들 추워
어쩔 때는
은행 밟아 똥냄새
그 좋던 여름
어디로 갔나
가을 싫어

단풍과 은행 - 강다빈

단풍잎이 하나씩
톡톡
떨어진다

단풍잎과 은행잎이 모여서
알록달록
무지개가 되었네

낙엽 밟으면
포스륵 포스륵

아이들도 신나게
너도나도 신나게

가을의 과일 - 길은성

집에서 먹는
가을의 과일.

감은 씨가 쏙쏙,
석류는 입안에서 팡팡.
사과는 입 한구석에
그림을 그린다.

입 안에서
팡팡 터지는
가을의 과일

가을 - 심규인

가을은 좀 춥고
은행도 있어서
싫기도 한 계절

하지만
내가 좋아하는 과일이
많이 나서
좋기도 한 계절

가을은 날 변덕쟁이로
만드는 계절

밤 캐러 간다 - 강민찬

밤을 캐러
산에 왔다.

밤이 바닥에
많이 떨어져 있다.

밤을 캐고 있는데
밤나무에서 밤이
후두두둑 떨어졌다.

밤 바구니 속 밤을 까서
다람쥐에게 줬더니
재빠르게 입에 넣었다.
볼이 동그래졌다.

은행잎 - 최연우

은행나무에서
은행이
후두둑 떨어진다
은행을 밟으면
이상한 냄새가 난다
어린이들이
냄새을
싫어한다고
은행이
요래저래
피해 다닌다

선풍기 - 최한결

휙휙 바람이
부는 선풍기
휙휙 바람이
내 동생한테 가네
선풍기는 언제나
동생 편

비 - 강민찬

후두둑 후두둑 떨어지는
비
벌집에서 나오는 윙윙
bee
법원에서는
비리

가을미용실 - 최한결

가을이 왔네요.

소문도 없이
빨강 머리
노랑 머리
주황 머리
나무들이
염색을 했네요.

알록달록
가을미용실

세모 도토리 - 홍지현

도토리에
모서리 부분은 어디일까?
도토리도
세모 부분이 있겠지
점이 세모인가?
아니면 모양 부분이
세모일까?

세모 도토리

가을 행복 - 권용휘

가을이 오면 단풍이 참 많다
빨강 단풍
주황 단풍

알록달록 예쁘다

알록달록 낙엽을 밟다가
나도 모르게 은행을 밟았다
똥냄새가 났는데 맛은 있다

단풍 - 박윤슬

은행은 밟으면
이상한 냄새가 난다.
하수구 냄샌지
무슨 냄샌지
상상도 안 간다.
나는 은행을 밟으면
정말 싫을 것 같다.

단풍 - 유도윤

툭툭
단풍이 떨어진다
울긋불긋
주황색으로 물든 산
바스락바스락 푹푹
단풍 소리
가을이 좋다

핫팩 - 조하준

겨울에 핫팩을 뜯고 흔들면
따뜻함이 손에 들어오고
주머니 속에 넣이 넜디기 꺼내면
뜨겁고 너무 뜨거워서 내 손이
타는 것 같네

눈사람 - 강다빈

눈사람을 만들자
동글동글 눈사람
당근코를 끼워보자
아이 귀여워

비 - 길은성

툭툭 비 떨어지는 소리
딸랑 동전 떨어지는 소리
돈 잃는 기분
신들이
500원 떨어트려
돈 잃는 기분

바람 - 김동준

휘잉휘잉 바람이 나에게
시원하지?라고 말을 거네
나는 추워서 바람에게 춥다고 말해
바람이 내 말을 들었나 바람 그쳤네
바람아 말을 들어줘서 고마워

스키 - 김리아

눈 위에서 쌩~
달리는 스키
넘어지고 다쳐도
재미있는 스키
사람들이 다쳐도 자동으로
피해 주는 스키

줄넘기 - 이솔민

나는 줄넘기, 드디어 주인이 나를 꺼내줬어!
어차피 나와봤자 하는 건 바닥에 머리 박기지만
또 몇 분 정도 있다 보면 어둠으로 들어가.

줄넘기의 하루 - 심규인

땅에 팍팍팍!
구석에 픽!
허리, 어깨 뻐근
줄넘기의 하루

하지만
주인이 잘 넘는 것을
보면 행복한
줄넘기의 하루

발목 줄넘기 - 변혜진

발목 줄넘기는
컴퍼스처럼
빙글빙글
마치 원을 바닥에
그리는 느낌
빙글빙글
다그닥 다그닥
말이 달리는 소리
빙글 빙글
다그닥 다그닥

줄넘기 - 유도윤

나는 줄넘기가
줄이 넘어갈 때
휘익휘익
손잡이는 동그라미를 그리며
끝없이 원을 그린다

피구공 - 최연우

여기저기
날아오르는
피구공
여기저기
통통 튀어 오르는
피구공

피구 - 강다빈

공 던질 때 번쩍 드는 손
공이 달려올 때
비행기처럼 빨리 날아오네
내 마음도 번쩍 놀라지

롤러 스케이트 - 강민찬

쓩쓩 빠르게 가는 사람들
나도 롤러 스케이트 신고
한 걸음 딛으니
꽈당
자세 잡다가
또 꽈당
난
왜 이렇게 넘어질까?

축구 - 권용훈

요리조리
축구
뻥! 때리는
축구
골 넣으면
칭찬 소리가
내 귀를 막는다

축구 - 권용휘

모두다 제끼고
마지막 골기퍼도 제끼고
드디어 골
사람들에 환호소리
세리머니까지 하면
상대편 짜증

농구공의 마음 - 김동준

탕탕탕 내몸이 뜨네
척
내 머리는 제자리로 가서
통통 튕기고 있네
농구공이
많이 아플 것 같다

날아오는 공 - 박윤슬

동서남북에서
날아오는 공
어디로 피해야 하는지
생각하다가
날아오는 공에 아웃

마리오의 세계 - 이윤호

마리오의 점프는 뿅!
내 점프는 콩!

마리오의 얼굴은 꽝!
내 얼굴은 금!

이것이 바로 나와 마리오의 차이

컴퓨터 - 이서현

친구들이
게임 하다가 졌다고
시끄럽게 울려 퍼지는
싸우는 소리
컴퓨터 쉬는 시간

키보드 - 조하준

키보드를 누를 때
착착착착착착착
느낌이 착착
키보드가 착착
느낌은 짝짝
역시 착착착착

고슴도치 - 김해온

고슴도치는 가시가 많아서 뾰족뾰족 따끔따끔 따
가운 가시 가시는 찔리면 아파서 찔리지 않으면
따끔따끔 찔리면 아픈 고슴도치

수학 문제 - 배보형

수학 문제는
보기만 해도
머리가 어질어질

문제를 풀었다가
틀리면
더 복잡복잡

문제를 풀었다가
맞으면
사탕처럼
새콤달콤
웃음이 피네

피아노 학원 - 강다빈

피아노 학원에 들어가면
피아노 소리가
딴딴

나를 반겨주는
선생님도
딴딴

내가
피아노를 칠 때도
딴딴

집에 갈 때도
내 머릿속도
딴딴!

난 제자리 - 배보형

나도 잘하고 싶은데
난 제자리
아무리 배워도
난 제자리
계속해도
난 제자리
나의 사전엔
제자리밖에 없을까?

쾅쾅 - 박윤슬

내가 아플 때
내 마음 나타내주는
천둥소리
내 마음을 나타내줘서
하늘에게 고맙다.

가방 - 박윤슬

내 몸만한 가방
무거운 가방
묵직한 가방
느릿느릿 내 몸은
가방만 들면
달팽이처럼 느려지는
내걸음

칼림바 - 박하윤

띠링 소리 나는 칼림바
연주할수록 마음이 편해지는
칼림바
나는 그래서 연주를 계속 계속
아~ 편해지는 느낌

의문의 빛 - 송지헌

한밤중에 수상한 빛
수상한 의문의 빛
안개 뒤 빛나는
이상한 빛
밤에 잘 수 없는 빛

안개가 사라지고 나니
아...
바로 달빛이었다.

책 - 심규인

얼마나 재미있을까?
새 책!
만질만질 새 책!

조금 시시해
오래된 책
꾸깃꾸깃 오래된 책

그래도 언제나 재미있는
책!

지우개 - 유도윤

쓱싹쓱싹 지우개
지우개 가루가
가출하네

지우개
가족 보고 싶은 마음에

지우개가
검게 물들며 울어대네

아무도 몰라 - 이채은

내 마음은 아무도 몰라
내가 생각하는 마음은
아무도 몰라
맨날 자기 생각만 하고
아무도 몰라

아침 - 원동연

꼬끼요 꼬꼬꼬
어제가 벌써 끝이라니
하루하루가 정말 짧구나
이제 곧 학교 갈 시간
5분 됐네, 오늘 시작

다섯 번째

가족, 쓰다

가장 가까운 사람들.

가장 많이 대화하고 표현해야 하는데, 쉽지 않습니다.

시를 통해서라도 마음을 표현해 봅니다.

이번엔 보호자님들의 시도 몇 편 실렸습니다.

더 고맙습니다.

가족 - 사지우

할머니 아빠
학교 가서 잘할게요!

집 냄새 - 이솔민

제일 익숙한 우리 집 냄새
친척이 놀러 오면 다양한 냄새

머리카락 - 유도윤

머리카락 자라는 소리
싹둑
안 좋은 기분도 하나
싹둑

머리카라 자르는 소리
싹둑
엄마에게 안 좋았던 기분도
싹둑

상쾌하다!

엄마 목소리 - 심규인

사랑해~라고
해주는
엄마 목소리

언제나 사랑해~라고
해주는
엄마 목소리

언제나 항상 사랑해~라고
해주는
엄마 목소리

언제나 집 안에
울려 퍼지는
엄마 목소리

언니는 나를 싫어해 - 최연우

우리 언니는 날 싫어해
고맙다고 선물을 줘도
언니는 날 싫어해
싸우면
내가 먼저 사과하는데
언니는 날 싫어해

오싹쓰싹 - 홍지현

엄마가 공부하라고 하면 오싹
공부할 때면 쓰싹
더 하라고 하면 오싹쓰싹

시계 - 변혜진

똑깍똑깍 우리 집 시계
째깍째깍 학교 시계
시계는 시간을 알려주지
똑깍똑깍 째깍째깍
내가 엄마 구두를 신을 때 나는 소리
똑깍똑깍 째깍째깍

연필소리 - 김리아

엄마가 공부하라 그럴 때 쓰쓰쓱
낙서를 할 때는 쓰싹쓰싹
그림을 그릴 때는 스삭스삭
공부를 하기 싫을 때는 쓱싹쓱싹

고기 - 김민희(길은성 보호자)

숯불에 구워 먹는 달콤한 돼지갈비
불판에 지글지글 고소한 삼겹살
뜨겁게 볶아먹는 매운 닭갈비
더운 날 삶아 먹는 닭백숙
쫄깃한 맛 돼지 족발
부드럽고 살살 녹는 보쌈
비싸서 더 맛있는 소고기
고기는 다 맛있다

여행 - 이군섭(이윤호 보호자)

반짝이는 모래알
눈부신 햇살과 친구가 되어
사진 한 장

무지개 펼쳐놓은 나뭇잎
선선한 가을바람과 함께
사진 한 장

소복소복 쌓이는 흰 아이스크림 흰 모래알, 흰 나
뭇잎과 함께
사진 한 장

오늘도 내일도 사진 한 장으로
추억을 남긴다.

응애에요 - 홍성철(홍지현 보호자)

기쁜 소식을 알려주려고
아침부터 까치가
시끄럽게 떠들면서 놀고 있네
불도 켜지지 않은 어두운 방에서
우당탕탕 춤을 추었다네
보름달 빵을 반쯤 먹었을 때
반가운 새 손님이 찾아오셨네.
어머 이게 누구신가요?
새 손님이 말씀하시네
아...응애에요...

꼬꼬댁 오신 날 - 홍성철(홍지현 보호자)

꼬꼬댁 오신 날-홍성철
눈이 오는 날
꼬꼬댁 눈을 먹네
띵동 현관문 밖에서 안으로
그분이 오셨네
튀김 옷과 부드러운
뒷다리 두 개는
큰딸과 작은 딸이 맛있게 냠냠
아빠는 목 부위를 먹고
구슬프게 노래를 부르네